Masajes con piedras frías y calientes

Guía para una experiencia total de cuerpo y mente

Ernesto Ortiz

TIKAL

Título original: *Hot & Cold Massage Therapy*
Dirección editorial: Isabel Ortiz
Traducción: Herminia Bevia
Corrección: Marisa López de Pariza

Publicado por primera vez en Estados Unidos por Mud Puddle Books,
36 West 25th Street, New York, NY 10010

Fotografías: Ernesto Ortiz

© Texto e ilustraciones: Mud Puddle Books, 36 West 25th Street,
New York, NY 10010
© Susaeta Ediciones, S. A.
Tikal Ediciones
C/ Campezo, 13 - 28022 Madrid
Tel.: 91 3009100 - Fax: 91 3009110
www.susaeta.com
D.L.: M-19898-MMXIII

....

Advertencia:
No todas las técnicas de masaje son apropiadas para todas las
personas, en especial las que padezcan problemas de espalda y otras
dolencias físicas. Para reducir el riesgo de posibles daños, consulte
con un médico antes de empezar este o cualquier otro programa de
masaje.

Los creadores, productores, participantes y distribuidores de este
programa rechazan cualquier reclamación o pérdida en relación con
el masaje con piedras calientes o frías y, en general, las técnicas de
masaje de este programa.

Este programa es sólo para uso privado, no profesional.

Contenido

Introducción

ME GUSTARÍA DAROS LA BIENVENIDA A UNA MARAVILLOSA AVENTURA DE AUTOEXPLORACIÓN e intimidad, aventura que podemos compartir con la pareja o con un amigo.

Lo que vais a descubrir os permitirá acceder juntos a un nuevo tipo de experiencia sensorial.

Antes de comenzar con el masaje, recomiendo leer todo el libro para obtener un conocimiento básico de las técnicas empleadas. Es buena idea repasarlo más de una vez para comprender mejor los principios que contiene.

Una sesión de masaje con piedras calientes se puede describir de muchos modos: deliciosa, sensual, relajante y muy terapéutica; una experiencia emocionante, reconfortante y, sobre todo, curativa.

Esta experiencia afectará positivamente a los cuatro cuerpos inferiores: el mental, el emocional, el físico y el espiritual. Son los que nos permiten expresarnos y relacionarnos con el mundo, y aunque usamos unos más que otros, es inevitable que utilicemos todos ellos para experimentar la vida. Cada cuerpo funciona por separado, pero al mismo tiempo se unen para dar expresión a la vida.

Cuando aprendáis a preparar las piedras, veréis cómo empleamos los elementos básicos de la vida –fuego, agua, aire y tierra– para realizar una sesión. Si solapamos los cuatro cuerpos (mental, emocional, físico y espiritual) generamos una poderosa combinación, que contiene todos los ingredientes necesarios para promover un cambio.

La forma en que estos elementos se relacionan entre sí es la siguiente:

–El fuego está en relación directa con el cuerpo espiritual.

–El agua está en relacion directa con el cuerpo emocional.

–El aire está en relación directa con el cuerpo mental.

–La tierra está en relación directa con el cuerpo físico.

La combinación hace del masaje con piedras calientes una experiencia sanadora total, en la que pueden intervenir nuestros amigos y seres queridos.

Esta obra es fruto de más de doce años de enseñanza a miles de terapeutas masajistas con licencia y de la práctica en una consulta privada, utilizando piedras calientes y frías como herramientas de cambio y transformación. Es mi deseo cooperar, para que tengáis la ocasión de sentir un impacto positivo no solo en vuestra vida, sino en la de la persona con quien compartáis la técnica.

En cuanto al efecto, he oído definirlo de muchas maneras: muy equilibrador, delicioso, como volver al útero materno, conexión profunda, me liberó de mis tirones musculares, me sentí como chocolate fundido... En otras palabras, una vez que logréis dominar este arte, suministraréis una experiencia diferente a cualquier otra.

Permanezcamos abiertos a la exploración y la experimentación de cosas nuevas. Dejemos que las piedras aporten a nuestra vida nuevos placeres y sensaciones.

¡Que empiece la aventura!

Ernesto Ortiz

1

El uso de piedras en la antigüedad

LA UTILIZACIÓN DE PIEDRAS POR EL HOMBRE ES mucho más antigua que la historia escrita. Una leve ojeada a las culturas y civilizaciones de la antigüedad revela la importancia de las piedras. En un nivel muy básico, servían para calentar los hogares y formaban parte esencial de rituales sagrados.

Además, las piedras eran un material muy apreciado para la construcción de templos y pirámides. Algunas han superado la prueba del tiempo y siguen entre nosotros en forma de extrañas estructuras que rodean el mundo desde Egipto a América, de la isla de Pascua a los restos de culturas nativas norteamericanas.

Si pensamos en monumentos como las pirámides o Stonehenge, imaginamos estructuras de enormes piedras, cuya mera existencia parece milagrosa. Pero las piedras más pequeñas han formado parte de rituales y ceremonias durante toda la historia. Antes de existir registros, las casas se hacían de piedra, al igual que las armas y herramientas para afilarlas. La popularidad de los cristales de cuarzo abarca todo el horizonte de la existencia humana hasta hoy, e incluso los no creyentes o escépticos llevan un anillo de la suerte.

Los nativos norteamericanos han utilizado piedras calientes en sus cabañas de sudar desde tiempos inmemoriales. De hecho, fue este empleo en particular el que me hizo apreciar otras posibilidades hace casi veinte años. Al principio, noté un brote de respeto por los abuelos y abuelas piedras, como las llaman, mucho antes de entender el uso y aplicación de las mismas sobre el cuerpo.

Todo empezó con la preparación de las piedras para un ritual, unos preparativos que incorporaban los cuatro elementos: fuego, agua, aire y tierra. Mi guía espiritual, Barrett Eagle Bear, una curandera (chamán) lakota, pasaba una piedra perfectamente redonda a un círculo de participantes. Nos pedía que la frotáramos sobre un punto del cuerpo donde sintiéramos dolor o incomodidad. Mientras circulaba, nos contaba la historia y cómo llegó a ser tan redonda con la ayuda de hormigas que la empujaron hasta el río. Esta piedra en particular se la había dado su abuelo. Esta fue mi introducción al masaje con piedras.

En un mundo gobernado por una velocidad y tecnologia crecientes, aún tenemos oportunidad de incorporar y aplicar viejos rituales en las prácticas cotidianas modernas. Comencemos, como se ha hecho durante miles de años, con respeto y reverencia por las piedras y las personas que nos han precedido.

2

Las piedras que utilizamos

EL BASALTO ES LA VARIEDAD MÁS COMÚN de roca volcánica, compuesto casi por entero de minerales oscuros de grano fino, como los silicatos u otros como el cuarzo. Por contener diferentes tipos de minerales, el basalto puede almacenar tanto el frío como el calor. Esto lo hace ideal para los masajes con piedras calientes.

Una vez aceitadas, las piedras cambian de color, de gris mate a un bellísimo color oscuro. Muchas veces, la piedra posee matices de otros muchos colores, lo que indica los distintos minerales de los que se compone el basalto. Pueden tener vetas o líneas blancas, que es la parte silícea; puntos rojo oscuro, su contenido en hierro; o motas verdes, de olivina. Todos son minerales que integran el basalto.

El basalto se forma por vertidos de lava volcánica caliente y líquida, tan caliente que abre surcos en el suelo al seguir la pendiente del volcán. Mientras fluye, la lava va recogiendo minerales de la tierra, y al hacerlo, se inicia el proceso de enfriamiento. Estas piedras basálticas pueden pasar miles de años en el lecho de un río, cuyas aguas, junto con la fricción contra otras piedras, las lavan y pulen.

Los geólogos miden la dureza de las piedras y minerales mediante una escala de medición internacional denominada escala de Mohs. Seguramente, todos sabemos lo que es un diamante y que se trata de la más dura de las piedras. Esto significa que mide 10 en la escala de Mohs. El basalto, que mide entre 7,6 y 8 en esa misma escala, es una piedra muy dura. Esta es una de las razones por las que conserva tan bien el calor o el frío, y por lo que es ideal para la terapia de masaje con piedras calientes o frías.

3

El desconocido mundo de las piedras

LAS EXPERIENCIAS DE APRENDIZAJE PUEDEN SER intelectuales o sensoriales. La experiencia intelectual proviene de los libros y otros materiales escritos, así como de las palabras de los expertos. Se obtiene a través de muchos recursos: por ejemplo, mediante conferencias o discusiones. También puede derivar de lo que vemos: por ejemplo, obras de arte o documentales. Es decir, depende de la obtención de conocimientos ajenos.

Por otra parte, el conocimiento alcanzado por un aprendizaje experiencial se basa en el examen y la reflexión sobre lo que uno ha hecho por sí mismo. En otras palabras, este tipo de experiencia es el proceso primario de aprendizaje para cuaquier individuo. Si, por ejemplo, tocamos una parrilla caliente, retiramos la mano y aprendemos a no tocar cosas calientes como una parrilla. No necesitamos leer ni escuchar nada de otros al respecto; aprendemos actuando y después pensando en lo que hemos hecho.

Si bien resulta útil leer este manual antes de empezar a trabajar con piedras frías y calientes, el mejor sistema es siempre el experiencial. Si ponemos las piedras a calentar, acabaremos descubriendo que podemos captar sus frecuencias (la energía que emiten): primero al ponerlas en el calentador, luego al usarlas y probarlas sobre el propio cuerpo.

Se puede ser eficiente en la administración de masajes caliente y fríos, pero sería una tarea mecánica y sin pasión. Lograremos un grado superior de éxito si sintonizamos con la energía de la persona a la que estemos masajeando. Sólo de este modo prestaremos un servicio a nuestra pareja.

Todos podemos reconocer sin discusión el mundo de lo visible. Pero cuando se trata de la energía de un individuo o, si lo preferimos, su aura, estamos en el mundo de lo no visible. Exige un poco de creatividad e imaginación concebir un mundo poblado de espíritus y guías, incluso ángeles y hadas. Este mundo de lo no visible es, claramente, la morada de la intuición, esa frecuencia especial de nuestro interior que nos permite escuchar las voces interiores.

Cuando percibamos la energía de las piedras y seamos capaces de deducir los elementos necesarios para prepararlas, veremos sus efectos como un ritual de la naturaleza, el fuego, el aire y la tierra. Podremos interconectar intuitivamente estos elementos y las piedras. No olvidemos que la intuición desempeña un importante papel en el masaje con piedras calientes y frías. Cuanto más la apliquemos y mejor conozcamos las piedras, más profundo será nuestro trabajo.

13

4

Chakras

DENTRO DEL REINO ESPIRITUAL DE TODO SER VIVO hay una serie de campos de energía. Son, en muchos aspectos, una especie de generadores. Estos centros de energía reciben el nombre de chakras. Son conocidos por las culturas asiáticas desde hace más de dos mil años, pero esta información sólo se ha difundido ampliamente en Occidente en las últimas décadas.

La palabra «chakra» significa «círculo» en sánscrito. Los chakras se representan como discos giratorios: la ilustración de la página 17 muestra los centros de energía, situados delante y detrás de la columna vertebral.

Cada chakra posee un color, que vibra con una secuencia específica. El uso de piedras en la parte delantera y trasera del cuerpo nos da acceso a estos centros. Podemos energizar y equilibrar los chakras, directa e indirectamente, con ayuda de las piedras.

14

Los principales centros son:

Los números se corresponden con los del diagrama de la página 17.

1

Primer chakra, o raíz

Localización: Base de la columna

Color: Rojo

Es el chakra más próximo al suelo; representa nuestra conexión con la tierra, el plano físico.

2

Segundo chakra, sacro o sexual

Localización: Entre la base de la columna y el ombligo.

Color: Naranja

Este chakra representa nuestra sexualidad, nuestros impulsos sexuales y nuestra creatividad.

3

Tercer chakra o del plexo solar

Localización: El área del plexo solar (5 cm por encima del ombligo).

Color: Amarillo

El plexo solar es la sede de las emociones personales, que incluyen el sentimiento de poder, ira y hostilidad. Aquí se encuentra almacenada nuestra intuición.

Se podría decir que es el centro de la intuición psíquica (etérica). Alberga nuestra vida emocional.

4

Cuarto chakra o del corazón
Localización: Centro del pecho
Color: Verde

El corazón es el núcleo del amor, la armonía y la paz. Es el punto de unión de los chakras superiores e inferiores. A través del corazón alcanzamos el amor, que entonces viaja hasta el centro emocional (el plexo solar) y de ahí al chakra sacro, que añade fuertes sentimientos de atracción y pasión, a continuación al chakra raíz que fomenta la sensación de desear sentar la cabeza. Las energías del amor que han viajado hasta la base (raíz) ascienden de nuevo hasta el corazón y la coronilla para una fusión perfecta.

5

Quinto chakra o de la garganta
Localicación: En el cuello
Color: Azul

Es el centro de comunicación, expresión personal y enjuiciamiento. Si sufrimos algún problema de comunicación, podemos pintar de color azul esta zona, lo que nos ayudará a decir lo que necesitemos.

16

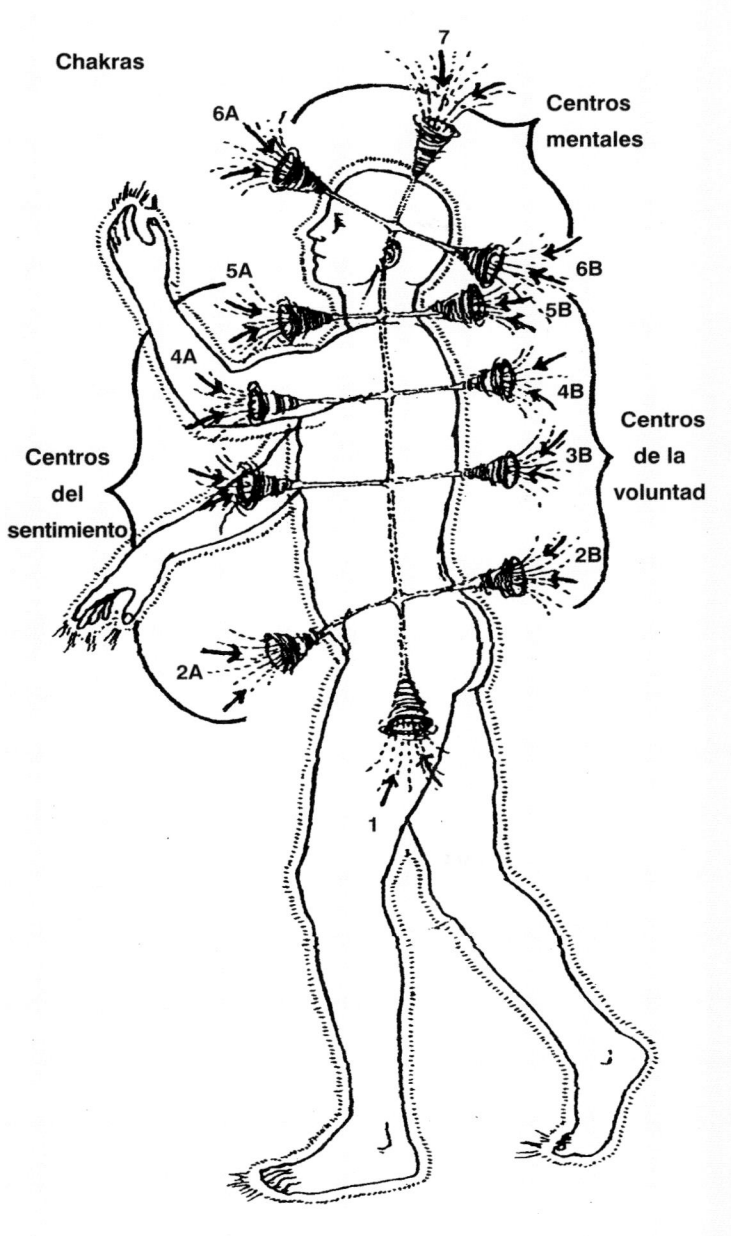

Chakras

Centros
mentales

6A

7

5A

6B

4A

5B

4B

Centros
de la
voluntad

3B

Centros
del
sentimiento

2B

2A

1

6

Sexto chakra o tercer ojo
Color: Índigo

Este chakra indaga en la naturaleza espiritual de nuestra vida. Aquí se encuentran la visión interior, así como dones de clarividencia, sabiduría y percepción. La visión y los sueños de nuestra vida se localizan en este chakra.

7

Séptimo chakra o coronilla
Localización: En lo alto de la cabeza
Color: Violeta

Este es el chakra del propósito divino, del destino. Es el portal a la conciencia cósmica (las áreas de conciencia más allá de la identidad personal). Equilibra nuestro interior con nuestro exterior, convirtiéndolos en una voz armoniosa.

8, 9, 10 etc.

Chakras transpersonales

Estos chakras son nuestra verdadera conexión con lo divino, y entre maestros y profesores. Con ellos vivimos la gracia, éxtasis y unión espiritual con Dios.

5

Equipo

He aquí una lista de lo que necesitaremos para realizar masajes con piedras en frío y en caliente.

Piedras de basalto

Al escoger piedras para masaje, elegiremos las que nos encajen bien en la mano, sin dejar de lado la aplicación que se les vaya a dar. Los bordes han de ser lisos y redondeados. Su tamaño variará: de piedras del tamaño de una moneda para los dedos de los pies, a grandes piedras para el *effleurage*. Las que sean de tamaño intermedio se pueden usar también frías.

Calentador

El calentador es la herramienta fundamental, aparte de las piedras. Lo más cómodo es un recipiente portátil tipo horno eléctrico. Uno de 7.5 l es, sin duda, ideal para nuestro trabajo.

Termómetro

¡Es un instrumento esencial! El agua se calienta a entre 57 °C y 59 °C. Para controlar la temperatura durante una hora o más necesitaremos un termómetro de precisión. Hay que buscar uno de la mayor calidad. Los usados para la carne van bien; los de repostería son menos precisos. Deben ir de -18 °C a 71 °C.

Cuchara

Hace falta una cuchara o paleta de madera para sacar las piedras del calentador. Una espumadera permite escurrirlas.

Bolsa y red

Nos hará falta una red de acuario de 10 cm y mango largo para sujetar las piedras para los dedos del pie. También necesitamos una bolsa de colada (de las usadas para ropa interior y delicada). Esta bolsa se empleará para las piedras dorsales.

Desinfectante oxidante de piscinas

Contribuirá a mantener el agua pura y el calentador limpio durante todo el día. Al final de la jornada, lavaremos las piedras y el calentador con agua jabonosa y templada.

Aceite para masajes

Usaremos un aceite para masajes de calidad, preferiblemente soluble en agua.

Nevera pequeña

Servirá para mantener frías las piedras. Se pueden usar cubitos de hielo o bolsas de hielo reutilizables (azules).

Sábanas

Necesitaremos dos sábanas lisas. Las ajustables no sirven.

Toallas de mano

Nos servirán para secar las piedras una vez sacadas del calentador.

Muletón (o falsa lana de oveja)

La pieza tendrá el tamaño necesario para cubrir la mesa de masajes. Si no lo tenemos, también podemos usar una manta.

Alfombrilla de goma

Una alfombrilla de goma, como las de baño blancas, cortada al tamaño de la base del calentador.

6

Posición en el calentador

AL DISPONER LAS PIEDRAS EN EL CALENTADOR, LO IDEAL ES desarrollar un sistema. Esto evitará confusiones y pérdidas de tiempo. El dibujo de la página siguiente ofrece una sugerencia respecto a la colocación de las piedras fácil de usar y de recordar.

En pie, frente al calentador, imaginamos que es un reloj y que su centro es donde se unen las manecillas. Amontonamos en el centro las piedras del sacro y abdominales. Directamente encima, a las 12, ponemos 4 piedras grandes de *effleurage*.

A la 1 situamos 6 piedras de cuello.

Debajo, a las 4 o las 5, colocamos 2 piedras de mano.

A las 6, 4 piedras grandes de *effleurage*.

En la terapia de masaje, *effleurage* es un término que indica movimientos largos y deslizantes, para los cuales se emplean las piedras del mismo nombre. Estos pases se pueden usar para conectar dos partes del cuerpo: por ejemplo, la transición de las piernas a la espalda se realiza mediante un largo pase de *effleurage*.

A las 8, las 9 y las 10, disponemos las piedras de *effleurage* medianas.

Las piedras para la columna deben colocarse en una bolsa de red sobre las piedras de *effleurage* medianas, en el lado izquierdo del calentador.

Por último, las piedras para los chakras de los dedos de los pies, ojos y garganta han de meterse en una red sobre las piedras del cuello en el lado derecho del calentador.

Si este sistema no nos convence, idearemos uno propio que nos resulte cómodo y práctico a la vez. Lo que nos funcione será lo correcto.

Posición en calentador

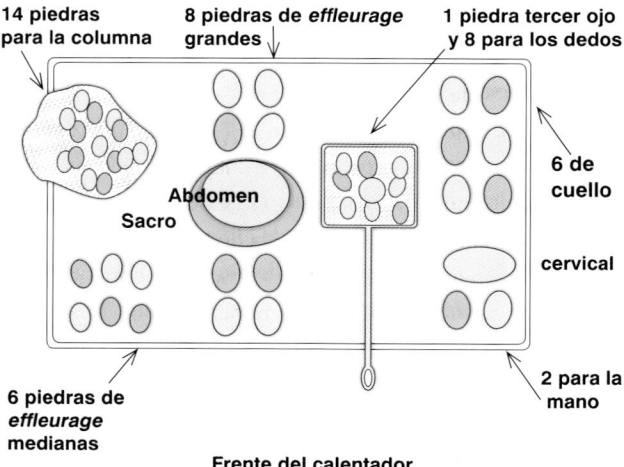

7

Almacenamiento de las piedras frías

MANTENDREMOS LAS PIEDRAS FRÍAS EN UN CONGELADOR para tenerlas siempre listas cuando las necesitemos.

Al trasladar las piedras del congelador a la habitación de masajes, las llevaremos en una nevera portátil con varios bloques de hielo para conservar el frío.

Si no tenemos a mano un congelador, utilizaremos una nevera portátil llena hasta la mitad de hielo. Las piedras se colocan sobre este hasta que se enfrían. Normalmente, tardan alrededor de media hora en estar listas.

El modo apropiado de transportar las piedras desde la nevera al cuarto de masajes es ponerlas sobre una toalla. Esto impedirá que las piedras goteen al aplicárselas a la persona que vaya a recibir el masaje.

8

Temperatura

Preparación de las piedras calientes

Ponemos una toalla de mano en el fondo del calentador, a modo de almohadilla para las piedras. Luego, las colocamos encima con suficiente agua caliente, lo justo para cubrirlas. El agua caliente del grifo suele salir a entre 46 °C y 49 °C. Con ayuda del regulador podremos ajustar la temperatura del agua según sea necesario.

Elevamos la temperatura del agua a unos 57 °C o 60 °C. A esta temperatura las piedras resultarán confortables al tacto y encajarán en el rango que la mayoría de las personas toleran muy bien (este rango suele oscilar entre 57 °C y 59 °C; idealmente, 57 °C).

Hay que comprobar con frecuencia el termómetro y regular la temperatura de acuerdo con nuestras necesidades. Por ejemplo, es casi seguro que habrá que aumentarla al terminar la parte frontal del cuerpo para calentar de nuevo las piedras antes de pasar a la espalda.

Consejo: añadir unas gotas de aceite esencial al agua antes del tratamiento. Nuestra pareja recibirá la bienvenida de una habitación gratamente aromatizada.

Preparación de las piedras frías

Es muy simple: introducimos las piedras frías en una nevera pequeña, medio llena de hielo, y todo listo.

Las piedras frías van muy bien en zonas de lesiones, quemaduras e inflamación recientes. Está comprobado que el empleo de piedras frías tras las calientes resulta muy eficaz en las áreas de los hombros y la nuca, por el contraste.

Recordemos que las piedras heladas penetran mucho más que las calientes: es importante no dejar las piedras frías en la misma zona demasiado tiempo.

Cuidado: también se puede quemar a la pareja con piedras frías.

Disposición chakra dorsal

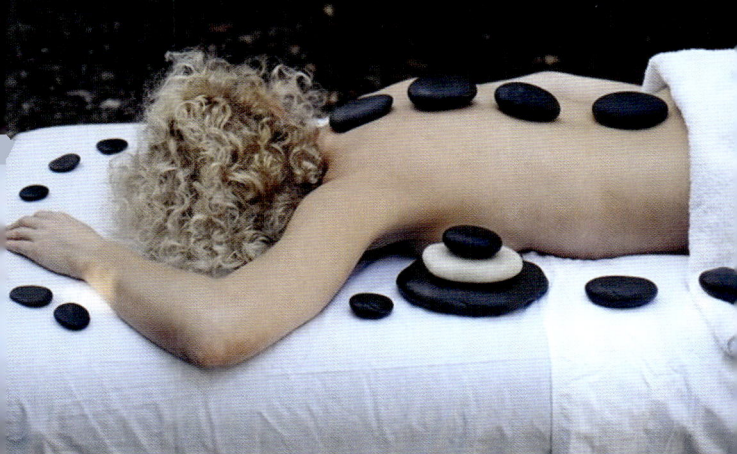

9

Solución de problemas

Si las piedras están muy calientes:

1. Comprobar la temperatura del calentador. Si es muy alta, añadir algo de agua fría.
2. Se pueden enfriar las piedras con alcohol o sumergirlas en un cubo pequeño de agua fría durante, aproximadamente, cinco segundos.
3. Dejar las piedras sobre una toalla para que se enfríen hasta la temperatura deseada.

Si las piedras no están bastante calientes:

1. Comprobar la temperatura del calentador y aumentarla cuanto sea necesario.
2. Seguir masajeando a la pareja mientras esperamos que el agua se caliente.
3. Para acelerar el proceso, tapar el calentador.

Si nuestra pareja dice que las piedras que se extienden sobre la camilla están demasiado calientes:

1. Si todas las piedras están demasiado calientes, utilizaremos otra funda de almohada.

Necesitaremos tres fundas de almohada: una va directamente sobre la camilla, para impedir que se dañe el vinilo por el uso repetitivo de piedras sobre la sábana que lo cubre; la segunda funda y la tercera, si es necesaria, cubren las piedras para impedir que las más calientes quemen a nuestra pareja.

2. Si una o dos de las piedras están demasiado calientes, añadir otra capa protectora a estas. *Consejo:* los calcetines infantiles van muy bien para envolver piedras individualmente. En todo caso, siempre es mejor tener alguna tela a mano por si nuestra pareja es demasiado sensible al calor.

Si nuestra pareja dice que las piedras que vamos a aplicarla están demasiado calientes:

1. Seamos conscientes de que la sensibilidad al calor es algo personal. Si nuestra pareja dice que las piedras están demasiado calientes, aunque el agua del calentador esté a la temperatura correcta, la bajaremos a 52 °C - 54 °C.
2. Dejar enfriar las piedras fuera del calentador unos minutos mientras proseguimos con el masaje. Luego, aplicamos de nuevo las piedras.

3. Asegurarse de aplicar la presión correcta.

❖ Una presión que traspase la piel es la óptima.

❖ Cuidado: un masaje ligero con una piedra caliente quemará a nuestra pareja.

❖ Mantener en movimiento las piedras. No dejarlas sobre una parte del cuerpo; quemaremos a nuestra pareja, en especial si acaban de salir del agua caliente.

Pase deslizante o effleurage

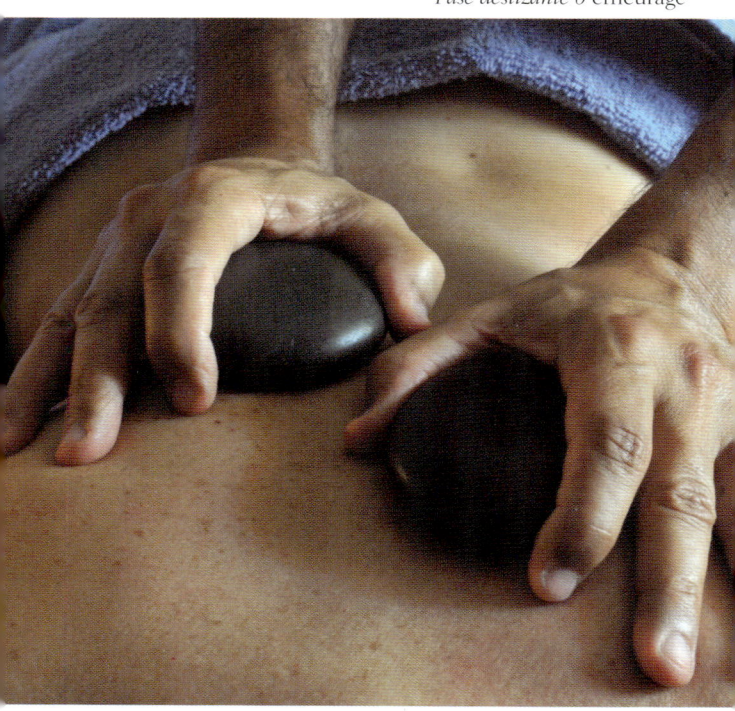

10

Termoterapia

EL MASAJE CON PIEDRAS SE BASA EN EL PRINCI-
PIO de la termoterapia. Científicamente, la definición
de *termoterapia* es la aplicación de calor o frío al cuerpo
con el fin de cambiar las respuestas fisiológicas que se
están produciendo en el mismo. En otras palabras, utilizamos los masajes fríos y calientes para promover la
curación, el equilibrio y el bienestar.

Aunque hay muchos estilos de masajes, ninguno se
ha mostrado tan eficaz como el masaje caliente y frío para
la generación de «homeostasis», un estado de equilibrio
perfecto en el interior del cuerpo. Si el organismo ha alcanzado la deseada estabilidad, la tensión psicológica se
reduce y a menudo llega a desaparecer.

Además, con el empleo de piedras calientes y frías se
altera rápidamente la circulación. Cuando la circulación
aumenta, lo mismo hace la llegada de nutrientes a todas
las células del cuerpo. El incremento del flujo sanguíneo
induce la eliminación de toxinas, lo que favorece la sanación.

La aplicación, ya sea de piedras frías o calientes, da lugar a una serie de respuestas internas:

1. Depleción: traslado de la sangre y la linfa de un área a otra mediante la aplicación simultánea de piedras a diferentes partes del cuerpo.

2. La aplicación prolongada de piedras calientes en una zona actúa como derivativo. Esto es, la merma de sangre y linfa en un área, que las aumenta en otra, produce una mayor circulación y desintoxicación al mismo tiempo. Con una breve aplicación de piedras frías se logra el efecto opuesto (este desplazamiento de linfa y sangre se llama retroestasis).

Si comprendemos estas respuestas estaremos en posición de escoger el mejor tratamiento al que someter a nuestra pareja.

Efectos reflejos del frío prolongado

1. La aplicación de frío sobre una arteria da lugar a una contracción de esta y de la zona que la rodea.
2. El frío prolongado aplicado sobre la nariz y la nuca hace que se contraigan los vasos sanguíneos de la nariz.
3. Un frío prolongado sobre el abdomen aumenta el flujo sanguíneo, lo que favorece la actividad digestiva.
4. Un frío prolongado sobre articulaciones o bursas (bolsas sinoviales que dificultan la fricción en las ar-

ticulaciones, tendones, ligamentos y huesos) alivia el dolor mediante la constricción de los vasos.

5. El frío prolongado sobre áreas de trauma agudo, como las contusiones, reduce el dolor y la hinchazón.

6. La aplicación de piedras frías, en general, elimina productos de desecho del cuerpo y eleva la tasa metabólica (la energía consumida en un entorno natural templado).

Reflejos producidos por la alternancia frío/calor

La hiperemia es un estado resultante de la aplicación de calor y frío a la vez. En concreto, consiste en el incremento del flujo sanguíneo a los músculos y tejidos. Exteriormente se caracteriza por un enrojecimiento de la piel, que indica que el oxígeno está siendo transportado a los músculos y tejidos, lo que favorece la sanación.

Quienes padecen dolor crónico encontrarán un gran alivio en la aplicación de calor y frío. Desaparecerán los puntos de congestión y desencadenantes.

Los puntos desencadenantes son áreas delicadas de un músculo, que indican una alta acumulación de toxinas. Los hay de dos tipos: activos y latentes.

Los activos provocan dolor muscular, y envían o dirigen (refieren) el dolor y las molestias a otra zona del cuerpo al aplicar presión sobre ellos.

Las molestias pueden desaparecer con uno o dos pases de piedra caliente.

Los latentes sólo producen dolor al presionarlos y no refieren el dolor a otras partes del cuerpo. Se cree que, en el caso de los individuos de más edad, los puntos latentes son una de las causas de la rigidez articular y la restricción de la movilidad.

El masaje con piedras calientes se centra en puntos latentes y ayuda a mejorar la movilidad en la mayoría de las personas.

Efectos reflejos del calor prolongado

1. El calor largamente aplicado a una extremidad causa una dilatación de los vasos sanguíneos de la otra extremidad (es decir, la aplicación de piedras calientes en la pierna derecha producirá el efecto deseado en la pierna izquierda). Esto contribuye a una mejor circulación y una mayor desintoxicación.

2. El calor prolongado en el abdomen provocará una reducción en el flujo sanguíneo y menor acidez de estómago.

3. El calor prolongado en el pecho facilita la respiración y la expectoración. La expectoración es el acto de toser y limpiar las vías bronquiales de mucosidades (flemas).

4. El calor prolongado promueve un incremento de la tasa metabólica de un individuo, que a su vez conduce a un aumento de la nutrición celular.

5. El calor prolongado favorece una mayor sensación de bienestar y relajación.

Efecto hidrostático

Cuando se expone al calor una gran superficie del cuerpo, se produce una dilatación general de los vasos sanguíneos de la piel. Este es el método por el que el cuerpo elimina el calor. El desplazamiento de una parte a otra se llama efecto hidrostático.

Hiperemia activa

Hiperemia: Irrigación inusual de un área particular. Aumento de la cantidad de sangre que fluye por cualquier parte del cuerpo, revelada por el enrojecimiento de la piel (definición del Diccionario Médico Taber).

La aplicación breve o prolongada de la terapia de frío recibe el nombre de hiperemia activa. La constricción superficial de la piel (breve) y la dilatación de los vasos sanguíneos y capilares de la piel (prolongada) alivian las congestiones y los bloqueos, tanto de órganos internos como de fibras musculares.

Indicaciones para el frío

❖ Alivio del dolor.
❖ Prevención y reducción de la hinchazón.
❖ Tratamientos iniciales de esguinces, contusiones y lesiones musculares.
❖ Inflamación articular aguda y artritis.

Indicaciones para el calor

- ✤ Alivia el dolor localizado.
- ✤ Derivación (ver página 42) para aumentar el flujo sanguíneo y así aliviar interiormente la congestión.
- ✤ Ayuda a que la piel y los tejidos se calienten y así consiguen relajarse.
- ✤ Sedante: en este caso, induce una calma natural mediante el uso de calor moderado para aliviar el insomnio, el estrés y la tensión.

Disposición para la espalda utilizando piedras pequeñas

11

Beneficios del empleo de piedras sobre...

Manos:

❖ Alivia la artritis y la rigidez articular.

❖ Produce un caldeamiento general del cuerpo.

Pies:

❖ Aumenta el flujo sanguíneo en los pies y la totalidad de la superficie de la piel.

❖ Combate los dolores de cabeza.

❖ Ayuda a reducir la congestión en el pecho.

❖ Induce un calentamiento general del cuerpo.

Zona cardiaca:

❖ Ayuda a reducir la tensión sanguínea.

Pulmones:

❖ Potencia la respiración y la expectoración.

Estómago:

❖ Ralentiza la digestión y reduce la acidez.

Riñones (zona renal, espalda):

❖ Alivia el dolor debido a espasmos musculares.

Músculos:

❖ Ablanda y relaja los músculos, aumenta el flujo sanguíneo que les aporta oxígeno.

Sistema nervioso:

❖ Sedante y relajante.

12

Aplicaciones locales de contraste

Se trata de la aplicación alterna de piedras calientes y frías: usualmente, dos o tres aplicaciones de piedras calientes y una aplicación de piedras frías.

Beneficios:
1. Reduce el dolor gracias al aumento de flujo sanguíneo hacia el área tratada.
2. Estimula la sanación en lesiones locales.
3. Reduce la inflamación.
4. Alivia la rigidez y el dolor musculares.

Indicaciones

Usar la terapia con piedras calientes y frías en caso de:

Inflamación, tirones, esguinces, bursitis, tensión crónica, codo de tenista, cefalalgia, inflamación abdominal, estreñimiento, músculos atrofiados, dolores menstruales y sencillamente por gusto (resulta tan, tan placentero...).

Contraindicaciones

No usar la terapia con piedras calientes y frías en caso de:

Asma agudo, embarazo (utilizar piedras calientes o frías sólo en áreas aisladas); no aplicar piedras calientes en el abdomen o las piernas, en infecciones, cistitis aguda o en alguien que sienta aversión por el calor o el frío.

Meditación con piedras

13

El uso de piedras calientes y frías

EL USO DE PIEDRAS CALIENTES ES MUY EFICAZ al inicio de una sesión de masaje, en particular si nuestra pareja padece tensión crónica. Al ir avanzando la sesión podemos añadir también piedras frías.

Si nuestra pareja sufre una lesión deportiva reciente, un tirón u otro tipo de molestia, empezaremos y terminaremos aplicando piedras frías en la zona dañada.

Para la columna vertebral usaremos piedras calientes, a menos que la espalda esté inflamada. De ser así, es mejor emplear piedras frías en el área afectada. Si nuestra pareja se queja de dolor lumbar, podemos aplicar de 4 a 6 piedras frías en la base de la espalda y calientes para el resto.

No olvidar: es clave deslizar «despacio» las piedras frías, ya que hace más tolerable su temperatura. Avisaremos siempre a nuestra pareja de que están frías antes de colocarlas, además de recordarle que respire.

14

Terminología

Un breve glosario de las palabras que debemos conocer:

Alterno/ar: Uso de piedras calientes y frías, normalmente tres veces más piedras calientes que frías.

Atonía: Carencia de tono muscular; falta del tono o la fuerza normales. Reacción que produce atonía en todo el cuerpo o un área específica.

Derivación: Todo lo que es dirigido de una parte del organismo a otra. La transferencia de sangre o linfa de una parte del cuerpo mediante el empleo de piedras frías, y el aumento de la cantidad de sangre o linfa aplicando piedras calientes en otra parte del cuerpo.

Fluxión: Flujo o descarga excesivos por parte de un órgano del cuerpo. Un aumento del flujo sanguíneo resultante del uso de piedras calientes en un área aislada.

Hidroterapia: Uso del agua en cualquiera de sus tres formas (sólida, líquida o vapor), interna o externamente, en el tratamiento de enfermedades o traumas, que mejora la salud de quien se somete a él.

Hiperemia: Cantidad inusual de sangre en una parte del cuerpo. Incremento de la cantidad de sangre que fluye por cualquier parte del organismo, caracterizado por el enrojecimiento de la piel.

Piedras calientes: El uso de piedras calientes expande y dilata los vasos sanguíneos actuando, a la vez, como un sedante para el sistema nervioso.

Piedras frías: La utilización de piedras frías constriñe los vasos sanguíneos, estimulando al mismo tiempo el sistema nervioso.

Retroestasis: Empujar la sangre o la linfa de un área del cuerpo hasta otra. Se emplean piedras calientes para desplazar la sangre de un área en la que se han aplicado piedras frías.

Tónica: Acción que vigoriza y aumenta la fuerza. Acción que produce enrojecimiento de la piel (hiperemia) incrementando la actividad de esta y la respiración.

15

Piedras agrupadas

LAS PIEDRAS SE DISPONEN EN AGRUPACIONES EN las que están en armonía unas con otras, no en un simple montón de pedruscos. Esta armonización crea una energía única que resuena entre las piedras, y esta resonancia mantiene cargadas sus propiedades electromagnéticas. Cuando están en armonía, esta energía electromagnética se transmite a nuestra pareja con cada movimiento.

Más aún, la agrupación de las piedras es el modo de mantenerlas cargadas cuando no estén en uso. Es una forma de honrar a nuestras herramientas como instrumento o prolongación de nosotros mismos. Crear un patrón armonioso genera la carga deseada.

Disposición en espiral

Disposición en escudo

16

Tratamiento básico con piedras calientes

Con la pareja boca arriba sobre la camilla y la sábana:

1. Antes de aplicar las piedras, estiramos las piernas, los brazos y el cuello de nuestra pareja. Una vez completamente estirada y relajada, la ayudaremos a incorporarse sobre la camilla.

2. Sacamos del calentador las piedras para la columna (consultar los diagramas de aplicación en página 61). Las ponemos en la camilla y creamos la disposición para la espalda. Hay que asegurarse de que las piedras están a los lados de la columna, sin tocar las vértebras. Cubrimos las piedras con dos fundas de almohada, y ayudamos a nuestra pareja a acostarse sobre ellas. Si siente alguna incomodidad, reajustamos las piedras.

3. Colocar un soporte o toalla enrollada bajo las rodillas.

4. Tomamos la piedra cervical del calentador o la nevera y se la ponemos bajo la nuca a nuestra pareja.

5. Coger dos piedras de mano. Plegamos la sábana sobre las manos de nuestra pareja y depositamos encima las piedras. Si están muy calientes, plegamos dos veces. Preguntamos si la temperatura es correcta. Si es demasiado elevada, añadir otra funda de almohada.

6. Sacamos del calentador la piedra del sacro. Es una piedra grande colocada en el centro del calentador. La colocamos a un lado de una pierna o entre las piernas, por debajo de la rodilla.

7. Sacamos las cuatro grandes piedras de *effleurage,* el tercer ojo y una piedra para el chakra de la garganta (cuello). Las disponemos junto con la piedra del abdomen sobre la camilla. Es una buena idea añadir un toque de nuestro aceite esencial favorito a las piedras.

8. Es un buen momento para un proceso de inducción (visualización verbal) con nuestra pareja. Se trata de explicar lo que vamos haciendo. Puede ser algo así:

«(Nombre de la pareja), respira hondo. Hazlo de nuevo y deja que tu cuerpo se hunda suavemente en las piedras. Sin dejar de respirar, relájate a fondo. Establece una conexión con las piedras. Permite que su calor penetre suavemente en tu cuerpo.

»Ahora, centra la atención en este momento y en tu cuerpo, y pregúntate: '¿Qué espero obtener de esta sesión?' Toma nota mental. Respira profundamente otra vez y sé consciente de los elementos fuego, agua, aire y tierra. Estos se han utilizado en los preparativos para la sesión y se solapan con los cuerpos mental, emocional, físico y espiritual. Dedica un momento a recompensarte, date permiso para experimentar plenamente la sesión y extraer de ella lo que necesitas. Repira hondo, mientras percibes tus sentimientos y emociones. Pidamos a nuestros ángeles y guías que nos acompañen durante esta sesión».

Este no es más que un ejemplo de los muchos modos de desarrollar una visualización guiada con nuestra pareja. Se trata de tener siempre presente la importancia de la creatividad, de la práctica y del goce.

9. Para obtener y conservar el equilibrio en el flujo de energía del cuerpo, debemos mantener las polaridades dominantes en este. Las polaridades siguen unas líneas de energía imaginarias desde la cabeza a los pies. Se trata de energías positiva y negativa como las de una pila eléctrica y, como en esta, cuando se conectan a una fuente exterior se genera una carga. En la terapia de masaje con piedras utilizamos una técnica llamada Conexión energética (ver diagramas en página 50).

Los números se corresponden con los números del diagrama de la página 50.

❖ Sujetamos los tobillos, ❶ respiramos hondo y nos centramos en la oleada de energía equilibradora que enviamos a través de las manos.

❖ Llevamos lentamente las manos de los tobillos a las rodillas. ❷ De nuevo, respiramos profundamente y nos concentramos en percibir la oleada de energía equilibradora que podemos enviar a nuestra pareja a través de nuestras manos.

❖ Desplazamos las manos desde las rodillas a las caderas. ❸ Inhalamos y contenemos la respiración, concentrándonos en la oleada de energía calmante y equilibradora que fluye de nuestro corazón y nuestras manos hacia nuestra pareja.

❖ Movemos despacio las manos de las caderas a los hombros. ❹ Respiramos hondo y dejamos que una ola de energía entre en nuestra pareja.

❖ Deslizamos con suavidad las manos para acunar su cabeza. ❻ Respiramos a fondo y sentimos la oleada de energía que estamos enviando a todo lo largo del cuerpo de nuestra pareja, de la cabeza a los pies.

Cuando efectuemos la conexión de energía en la parte frontal, tendremos que hacerla también en la parte trasera.

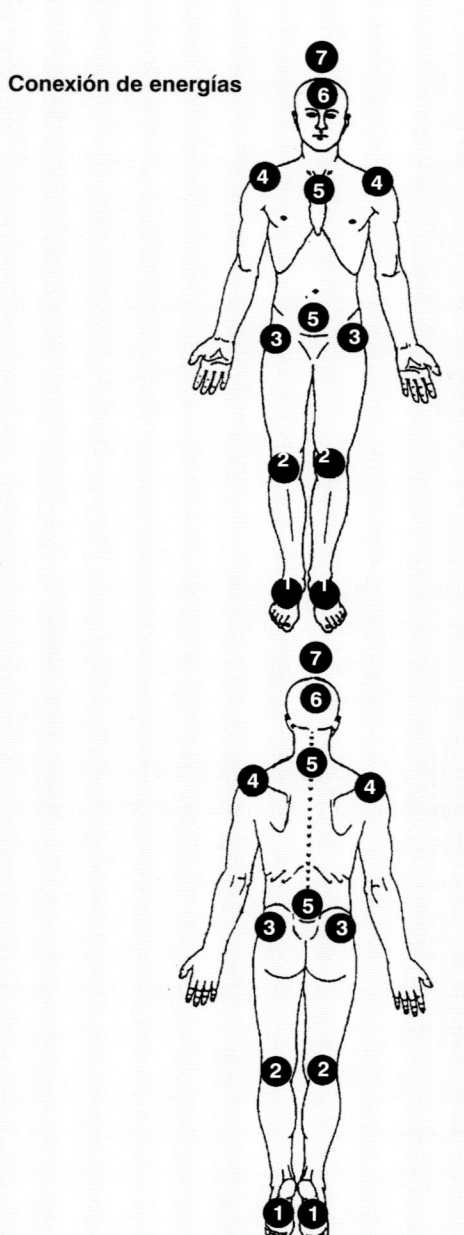

Conexión de energías

10. Ahora, podemos empezar a distribuir las piedras de la disposición del chakra frontal (ver diagrama en página 50). Partimos de la piedra grande (del sacro) y la ponemos justo sobre el hueso púbico, seguida de las otras cuatro. Rozamos con suavidad la garganta y el tercer ojo antes de utilizar las piedras (nos aseguraremos de que estén solamente templadas, no demasiado calientes).

11. Extendemos aceite en los pies y las piernas. Sacamos del calentador las piedras de los dedos de los pies. Las colocamos entre los pies y masajeamos estos al situarlas entre los dedos.

12. Sacamos del calentador las dos piedras medianas para el *effleurage* y comenzamos a trabajar sobre la pierna derecha.
No olvidar que siempre hay que tocar antes el cuerpo con el dorso de la mano. Jamás se debe usar una piedra caliente para el primer contacto. Si las piedras están demasiado calientes, dejemos que se enfríen uno o dos minutos antes de aplicarlas sobre el cuerpo.
Cuando hayamos acabado con la pierna y las piedras se hayan enfriado, las ponemos de nuevo a calentar.

13. Sacamos dos piedras de *effleurage* medianas y trabajamos sobre la pierna izquierda. Después, las devolvemos al calentador.

14. Cogemos dos piedras de *effleurage* medianas y trabajamos sobre las piernas izquierda y derecha.

15. Extendemos aceite en el brazo derecho y con la piedra de mano que ha tenido sujeta nuestra pareja, trabajamos la mano y el brazo derechos. Cuando hayamos acabado, le devolveremos la piedra.

16. Ponemos aceite en el brazo izquierdo y con la piedra de mano que ha tenido sujeta nuestra pareja, trabajamos la mano y el brazo izquierdos. Se la devolveremos.

17. Extraemos del calentador dos piedras medianas de *effleurage* y trabajamos el brazo derecho.

18. Extraemos del calentador dos piedras medianas de *effleurage* y trabajamos el brazo izquierdo.

19. Extraemos del calentador dos piedras medianas de *effleurage* y trabajamos los brazos izquierdo y derecho.

20. Quitar las piedras cervical, de cuello y tercer ojo.

21. Aplicamos aceite en el cuello y los hombros.

22. Sacamos todas las piedras de cuello del calentador. Las envolvemos en una toalla y trabajamos el cuello, la parte alta de los hombros y el pecho.

23. Ahora, podemos emplear las piedras frías para trabajar el cuello y la parte superior de los hombros. También podemos aplicar las pequeñas para la cara.
No nos olvidemos de avisar siempre a nuestra pareja

de que vamos a utilizar piedras frías. Yo suelo decirle que respire hondo y anuncio: «Esta va a estar fría».

24. Una vez que hayamos acabado con las piedras frías, podemos retirar las de los dedos de los pies. Quitamos las piedras de la disposición del chakra frontal y las piedras de mano. Las devolvemos al calentador.

25. Ayudamos a nuestra pareja a incorporarse y le cubrimos la espalda con una toalla. Podemos ofrecerle un poco de agua y de serenidad mientras retiramos en silencio las piedras de la camilla. No hay que volver a calentar las piedras para la espalda.

Con la pareja boca abajo:

26. Sacamos del calentador la piedra grande del abdomen, la envolvemos en una funda de almohada y la ponemos en la camilla (página 54, abajo). Pedimos a nuestra pareja que se ponga boca abajo y colocamos la piedra donde no haya huesos (resulta incómoda en el pubis, la cresta ilíaca o las costillas inferiores).

27. Yo aplico aceite esencial de lavanda a la espalda mientras se calientan de nuevo las piedras. En general, tardan de cuatro a cinco minutos.

28. Si anteriormente hemos realizado una conexión energética en la parte frontal del cuerpo, tenemos que hacer otro tanto en la parte posterior.

Disposición de las piedras en posición boca abajo

Se envuelve a la pareja en una toalla

Piedras calientes sobre la toalla, no sobre la piel desnuda

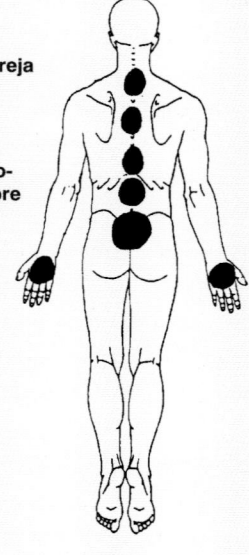

Piedra de abdomen envuelta en una toalla

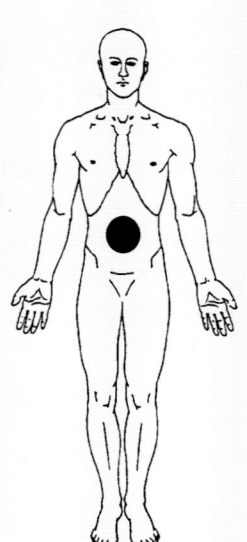

29. Retiramos del calentador las cinco piedras del chakra de la espalda (página 62, arriba). Colocamos la gran piedra del sacro, añadiendo luego las otras cuatro.

30. Sacamos las dos piedras de mano del calentador. Plegamos la sábana sobre las manos de nuestra pareja y ponemos encima las piedras.

31. Aplicamos aceite en las piernas y las nalgas.

32. Sacamos dos piedras medianas de *effleurage* y empezamos a trabajar la pierna izquierda. Cuando las piedras se enfríen, las devolvemos al calentador.

33. Cogemos otras dos piedras medianas de *effleurage* y empezamos a trabajar la pierna derecha. Cuando las piedras se enfríen, las devolvemos al calentador.

34. Extraemos otras dos piedras medianas de *effleurage* y trabajamos las piernas derecha e izquierda.

35. Retiramos las cuatro piedras superiores del chakra de la espalda y las ponemos a calentar. Bajamos la toalla, ponemos de nuevo la piedra sacra y plegamos la toalla para dejar al descubierto las nalgas y la espalda.

36. Si hace falta, ponemos más aceite en espalda y nalgas.

37. Extendemos aceite en el brazo izquierdo y usamos la piedra de la mano para trabajar la mano y el brazo izquierdos. Una vez que hayamos terminado haremos que nuestra pareja sujete la piedra.

38. Extendemos aceite en el brazo derecho y usamos la otra piedra de mano para trabajar la mano y el brazo derechos. Una vez que hayamos terminado haremos que nuestra pareja sujete la piedra.

39. Sacamos dos piedras medianas de *effleurage* y trabajamos la pierna izquierda. Seguimos hasta la nalga izquierda con prolongados movimientos de *effleurage*. Subimos hasta los hombros y trabajamos la espalda. Cuando estemos listos para cambiar de piedras, bajamos por los brazos con las dos piedras y las reemplazamos por las dos de las manos.

40. Sacamos dos piedras medianas de *effleurage* del calentador y trabajamos la pierna derecha. Continuamos hasta la nalga derecha con largos pases de *effleurage*. Subimos hasta los hombros y trabajamos la espalda.

41. Retiramos del calentador dos piedras grandes de *effleurage*. Pasamos a la pierna izquierda. Ascendemos y comenzamos a trabajar las nalgas y la espalda.
Sea creativo y tómese su tiempo. Deslice las piedras sobre la piel lentamente y con una firme presión.

42. Repetimos los pasos 32 a 41 dos o tres veces. No olvide reemplazar las piedras de mano que sostiene nuestra pareja por otras templadas cuando termine de usarlas.

43. Sacamos unas piedras frías de la nevera y trabajamos la parte superior del cuerpo y la nuca. Antes de aplicarlas, avisamos de que estarán frías y que respire hondo. Recordemos siempre comenzar con las piedras frías por la parte alta del cuerpo e ir bajando. No dejar nunca piedras frías sobre los riñones mucho tiempo.

44. En este punto, retiramos las piedras de mano y del sacro. Cubrimos a nuestra pareja con una toalla.

El tratamiento casi ha finalizado. Ahora se trata de aportar algo más de equilibrio y cerrar la disposición del chakra de la espalda para que no quede abierto. Para hacerlo, yo recurro al método hopi, basado en el *Toque sanador* desarrollado por la doctora Barbara Brennan. Es una adaptación de antiguas técnicas de curación por el tacto, incluyendo las de los aborígenes australianos y los indios norteamericanos hopi. Incorpora el Sistema de Chakras del este de India y algunas técnicas chinas.

45. Técnica Hopi

Se aplica con una piedra a temperatura ambiente. Se puede usar fluorita china, un cristal de cuarzo o cualquier otra piedra con un extremo redondeado.

✤ Nos ponemos a la izquierda de nuestra pareja.

✤ Colocamos el pulgar y el índice uno a cada lado de la columna, debajo de la nuca.

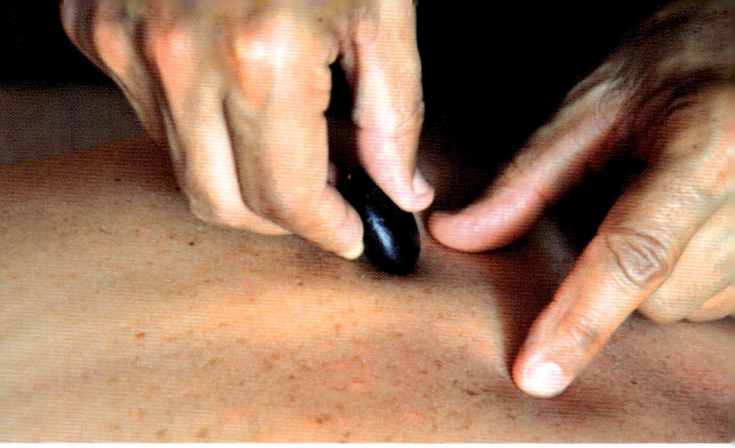

Técnica hopi

❖ Tomamos una piedra pequeña con la mano derecha y hacemos nueve círculos en sentido horario, en dirección al hombro derecho justo debajo de nuestro índice. Luego, nueve círculos antihorarios en dirección al hombro izquierdo, bajo nuestro pulgar.

❖ Tras esto, deslizamos la piedra hacia abajo por el costado del cuerpo hasta donde podamos.

❖ Bajamos los dedos unos 5 cm y repetimos.

❖ Seguimos así hasta llegar al sacro (el hueso grande de la base de la columna, en el extremo de la parte baja de la espalda).

Los círculos en sentido horario representan al espíritu; los antihorarios, el renacimiento. Aportan mayor conciencia y equilibrio al fin de la sesión.

58

46. Ponemos un cuenco tibetano entre los omóplatos y lo tañimos con suavidad cuatro veces.

Estos cuencos existen desde hace más de 2.500 años. Se los llama también tazones cantadores himalayos o campanas fijas, ya que se supone que han de ser golpeados o frotados cuando están sobre una superficie, en vez de colgando. Su sonido induce una profunda relajación y son útiles para la meditación.

47. Lavamos los pies y las manos de nuestra pareja con algo fresco y refrescante como hamamelis, mi preferido, o alcohol. Como toque añadido, echamos unas gotas de aceite de pimienta.

48. Nos colocamos en la cabecera de la camilla, apoyamos la mano en la espalda de nuestra pareja y decimos algo como: «Hemos terminado la sesión. Despierta tu consciencia a esta habitación».

49. No olvidemos dar las gracias.

Cuenco tibetano

17

Otras disposiciones de las piedras

- Disposición para el chakra frontal (página siguiente, abajo).

- Disposición en espiral (página 45).

- Disposición para el chakra dorsal (página 62).

Disposición de las piedras en posición boca arriba

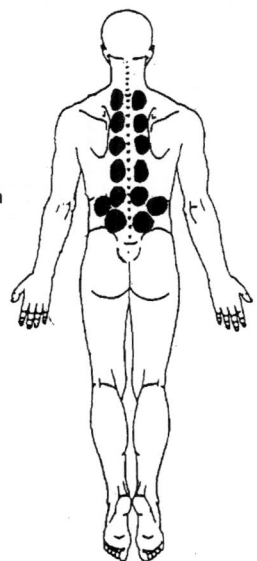

Las piedras calientes para la columna se cubren con dos fundas de almohada antes de que se tumbe sobre ellas

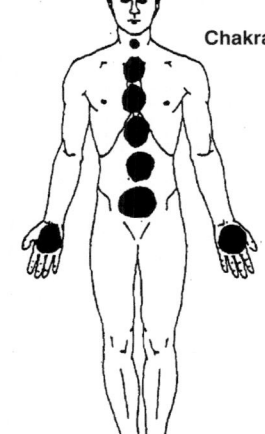

Piedra del tercer ojo

Chakra de la garganta

Cinco piedras de chakra encima de una toalla, no directamente sobre la piel

Piedras de mano sobre sábanas dobladas, no sobre la piel desnuda

Envolverle en una toalla

Piedras calientes en los pies

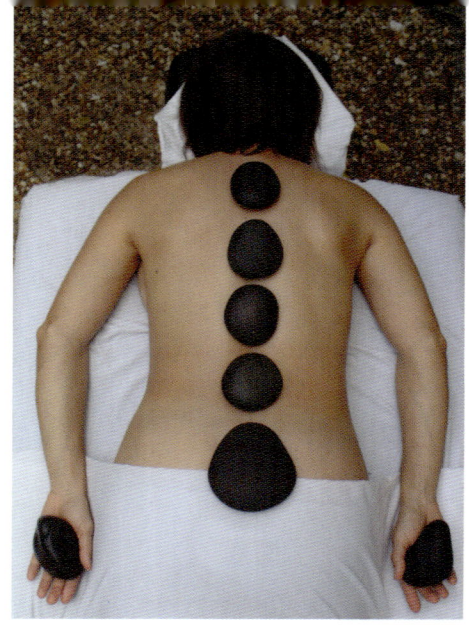

Disposición del chakra dorsal

Círculo para la base de la espalda, el estómago, el plexo solar

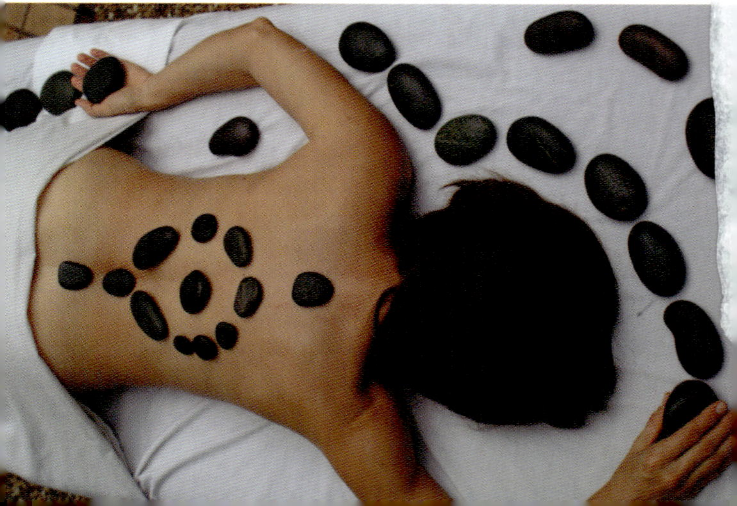

18

Visitas a domicilio

AUNQUE RESULTA DIFÍCIL ADMINISTRAR trata-mientos completos a domicilio, se pueden realizar otros parciales. Necesitaremos un calentador más pequeño y manejable y un juego de piedras más reducido (preferiblemente 10), además de una camilla plegable.

Todo (salvo la camilla) debería caber en una bolsa de deporte. Incluiremos un alargador, una cuchara de madera, un termómetro y dos toallas de mano. El cliente proporcionará una toalla grande para debajo del calentador, que colocaremos sobre una superficie sólida. Antes de nada, conectamos el calentador para que las piedras se calienten. Cuando la persona se tumbe, deberían estar a la temperatura adecuada (55 °C a 60 °C).

Si el agua está fría, tardará aproximadamente 20 minutos en alcanzar 57 °C. Si echamos agua caliente del grifo, serán unos 10 minutos.

¡Una vez que las piedras estén calientes, estamos listos para comenzar!

Sobre el autor

Ernesto Ortiz, LMT, CST, KRM, fundador y director de *Journey to the Heart*, una organización dedicada a aumentar la consciencia y el bienestar de las personas, es artista y autor; renombrado consejero, maestro y terapeuta reconocido por su formación innovadora, multidimensional, en la terapia con masaje, la terapia craneosacral, el Karmapa Reiki, técnicas integradoras/chamánicas, respiración, registros akáshicos, terapia musical, Trance Dance... Comenzó su instrucción de joven con chamanes y curanderos de México y Sudamérica, complementada por maestros de todo el mundo.

Ernesto ha dedicado su vida a explorar y comunicar el lenguaje del corazón, el movimiento primigenio y los espacios interiores profundos. En los últimos 25 años, ha llevado a miles de personas de la inercia física y emocional a la libertad del éxtasis, del caos de la mente-ego al bendito vacío de la quietud y el silencio interior.

Sus talleres y retiros tienen una intensidad que unifica lo espiritual y lo mundano, desde el descubrimiento poético del alma al enfoque moderno de primitivas prácticas chamánicas. Ha organizado muchos cursos y seminarios en EE. UU., Canadá, Australia, el Caribe, Indonesia, Egipto, Reino Unido y Sudamérica.

Ernesto es autor de *In the Presence of Love* y *Mastering the Art of Relationships*, entre otros. Sus discos akáshicos y el kit Tian Di Bamboo pueden obtenerse también en DVD. Para más información, visitar www.journey2theheart.com.